KB177743

위로하는 오름 1

위로하는 오름 1

발　행 | 2023년 12월 19일
저　자 | 오름 노이몬트 무덤덤
펴낸이 | 한건희
펴낸곳 | 주식회사 부크크
출판사등록 | 2014.07.15.(제2014-16호)
주　소 | 서울특별시 금천구 가산디지털1로 119 SK트윈타워 A동 305호
전　화 | 1670-8316
이메일 | info@bookk.co.kr

ISBN | 979-11-410-6105-0

위로하는 오름 1

오름 노이몬트 무덤덤 지음

CONTENT

CONTENT

머리말

10월 만추 어느 날이었습니다.

가을 단풍이 아름답게 내리는 남한산성 연무관을 거닐고 있었습니다. 중년을 넘긴 듯한 어머니가 성년이 된 아들 둘을 데리고 올라와 계셨습니다. 처음에는 서로 외면하며 걸었으나, 이내 저는 알게 되었습니다. 성년이 된 아들 둘은 지적 장애를 갖고 있는 듯하여, 어머니 말에는 좀처럼 집중하지 못하고 있었습니다. 아들 둘이 쌍둥이인 듯한데 어머니는 성심과 성의를 다해 이야기를 이어가셨습니다. 아침부터 준비하셨을 도시락을 꺼내놓으시며 나무 아래 탁자에서 어머니가 하시는 말씀은 끝이 없는데, 성년이 된 두 아들은 다른 곳만 보고 있네요. 어머니는 자식이 잘 알아듣지 못함을 아시는 듯하지만, 최선을 다해 자식과 대화를 이어가려는 어머니 모정의 순수함이 감동스러웠습니다. 어머니가 주신 모정은 분명 그들에게는 기쁨과 행복이 있지만, 동시에 어머니는 고통과 슬픔, 불안과 두려움에 외롭고 힘들어하실 수도 있습니다.

그런데도, 어머니의 모정은 어떠한 어려움에 맞설 수 있는 놀라운 능력을 발휘합니다. 저는 모정의 순수함을 믿으며 이 글을 씁니다.

하찮은 존재로서 누군가를 위로할 수 있는 작은 힘이라도 있다면 그것을 위해 최선을 다해보고자 합니다. 주위를 한번 돌아보아 단 한 번이라도 "괜찮아"라고 말하며 살고 싶습니다. 그로 인해 새로운 것에 적응하기 어려워함에 그것을 극복하고자 하는 힘을 낸다면 억압의 공포로부터 세상을 만들어 가는 힘을 만든다면 부조리를 사

정없이 깨고 신세계를 열어가는 힘이 생긴다면 작은 힘을 보태어 누군가를 위로하고자 합니다.

"정말 괜찮아"라고 말할 때 울먹이는 나의 동료를 보신적은 없으신가요?

이 책은 삶의 어려움을 극복하기 위한 힘을 얻기를 원하는 이들에게 작은 위로와 도움을 주기 위해 쓰였습니다. 삶의 한가운데에서 작은 실오라기를 놓지 말기를 바라는 마음으로 저희 동료들에게 이 글을 보냅니다.

오름으로부터

1 도솔천을 걷는 동료에게

저녁을 먹고 헤어질 때
설마 하고 보냈던 걸 후회하고 후회함세
지금 비틀대며 걸어가는 자네 길이
우리가 다니던 언덕은 아닐 테고
어디 먼 길 떠나려고
걸어서 가는거요 기차를 탄 것이요
기분 좋은 행차도 아닐 텐데
아니 벌써 가서 누구를 만나려고
노잣돈 하나 없이 그리 빨리 재촉하오

가는 길 먹먹하니 잠시만 들어보소
나발을 불 터이니 잡념 한번 들어보소

부모형제 이별하면 다시 보기 어려웁고
인명 또한 하늘에 있다하니
하루를 참아서 벌떡 한번 일어나소
내년 봄날 꽃이 필 때
나비들을 모아 꽃놀이 같이 갑세
이젠 발바닥 탁 붙이고
웃으며 일어서서 미안허이 말해보소

도솔천 아래에는 등잔불은 들고 갔소
이팔청춘 시퍼런 날 이리 가면 서운하오
큰 설움은 잊어 불고 청산 찾아 다시오소
산천경계 헤매이며 누워만 있지마소
도솔천 좋다 하나 이승 또한 괜찬으니
성티 성한 몸뚱이로 다시 좀 돌아오소

꼭두를 부여잡고 헤매우면 힘드우니
끝나지 않은 수명장수 다시 한번 돌아오소
금옥 같은 목소리가 그립고 그리우니
그리 누워만 있지말고 다시 한번 불러 주소

푸른 하늘 청량하고 공기도 맑디 맑아
자네 건강 좋을 테니
빈허리 뒷짐지고 마주보며 걸어보고
손목 부여잡고 들판 한번 뛰고싶소
다시 만나 웃을 날을 기다리고 기다림세

2 다 잘 될 거예요

살아간다는 건 연극인 것 같아요
배우와 그 많은 스텝들이 움직이는 무대를
객석에 앉아 바라보는 것만 같아요
이건 아마 어려운 시기가 찾아왔기 때문일 거예요

우리 왜 있잖아요
혼자 앉아 있는 이 어두운 공간에서
불안과 혼돈으로 출구의 방향을 잃어버린 거 같은 거
하지만
잠시 걱정을 접어두어 봐요

손을 더듬거려서 의자와 의자 사이를 걸어가다 보면
한 줄기 빛처럼 출구에서 빛이 쏟아져 들어와요

현재의 어려움이 어떤 상황인지 알 수는 없지요
이 어려움을 지나 쓰디쓴 경험과 교훈을 안고 난 다음
당신에게 찾아올 거예요
누구도 당신을 위협하지 못하는 강인함과 의지

우리 한번 믿어봐요
이 어려운 암막이 걷히고 큰 힘을 얻게 될 걸 믿어봐요
한 번쯤은 이런 고통도 필요하다고 생각해 두고
내가 느꼈던 사춘기의 성장통을 되새겨 보아요
그 의미가 당신이 오늘과 내일 일어서는 힘이 될 거니까요

잊지 말아 주세요

이 어둠이 끝나고 아침이 왔을 때 밝게 웃게 될 거라고

그런 아침을 위해 희망을 끈을 놓지는 말아요

당신이 새로운 아침을 시작할 수 있도록

응원할게요

모든 것이 다 잘 될 거라고 믿어요

3 상처와 상황

정확히 무엇이 아픈지 잘 알 수는 없지만

주위를 맴돌며

함께 이야기를 들어주고 싶다는 말을 전하고 싶어

너의 인생에서

정말 예기치 못한 상처와 상황이 너를 짓누른다는 걸 알겠지만

그런 상처와 상황이 너를 좌절시키지 말기를 진심으로 바라

순간순간이 외롭고 처절하겠지

혼자라는 생각이 너를 지배하겠지

하지만

너는 좀 더 단단해지고 굳건해지는 나무이기를 바라

너에게 주어지는 현재의 상처와 상황은

그냥 지나가는 순간일 뿐이야

그것들이 영원하다면

그 많은 상처와 상황들이 너와 나를 지배하면서 살아가겠지

물론,

너를 둘러싼 상처와 상황이 너에게 주는 아픔을 간과하거나,

무시해서 하는 말은 아님을 기억 해줬음 좋겠어

상처로 주어지는 아픔이 한두번 너에게 생채기 낼 수 있지만

무거운 중병이 되어 너를 쓰러뜨리지는 못할 거야

한 번쯤 상처에 연고를 발라보는 건 어떨까?

그 작은 상황을 통해

또, 네가 새롭게 일어날 수 있다면
그건 너를 만드는 통과의례가 사라져간다는 걸 느낄 거 같아

나도 너처럼 완벽하지 않기에 상처를 줄 때도 받을 때도 있어
그 순간 순간을 다 기억하지 못하고 살 뿐이지
하지만
너는 나보다 더 완벽한 존재일 거야
그 순간순간을 잊지 않고 고뇌한다는 건
네가 진심으로 세상을 사랑으로 믿고
많은 이들을 너 자신처럼 위로하며
네가 사랑하는 사람들 속에서
굳센 힘을 얻어 갈 것이라 생각해

이젠 걱정하지 않아도 돼
네가 겪는 모든 시련과 고통은
결국
너를 세상 누구보다도 강하게 만들 거라 믿어
누군가의 말이나 행동으로 인해 상처받은 것은
결코 너의 잘못이 아니야
그러니 네 자신을 탓하지 않아도 돼
너는 그 어떤 상황에서도
사랑하고 아낌을 받을 존재 가치 임을 잊지 말아 줘
내가 항상 너의 편이 되어 줄게

4 나의 동료에게

당신의 업무는 대다수의 사람에게 보이지 않는 지점에서 이루어지지만
그 결과는 구석구석 당신의 숨결이 미치지 않는 곳이 없습니다
때로는 민원으로 인해 감내하기 힘든 모욕의 시간을 보내기도 하지만,
그런 순간마다 당신이 해주시는 이 일이 얼마나 많은 이들을 구원해 주고
새로운 가치를 아로새겨 주는지 잊지 말아 주세요

민원은 지옥에서 울려 퍼지는 악마의 악다구니입니다
그 잡음은 때로 당신을 지칠 만큼 부담스럽게 만들기도 하지만,
그것은 곧 그 악마가 당신에게
큰 권한이나 권력이 있다고 착각하는 증거입니다
그렇기에 그 힘든 순간들을
감정의 쓰레기통에 하나씩 둘씩 버려주길 기대합니다

당신이 매일 만드는 작은 업무 하나하나가 모여
우린 여기까지 좋은 세상을 만들어 왔습니다
그래서 당신이 얼마나 감내하고 참아내고 있는지
또한 당신의 노력이 얼마나 소중한지 그 가치는 측정할 수 없습니다

힘든 순간마다,
당신이 우리에게 얼마나 소중한 존재인지 잊지 말아 주세요
많은 사람에게 사랑받고 도움이 되는 가치인지 되새겨 주세요
그리고 당신이 얼마나 중요한 위치에 있는지 기억해 주세요
오늘 이렇게 어려운 순간들이

당신을 더욱 성장하게 하는 계기가 될 거라고 믿습니다
저는 항상 당신의 노력에 항상 감사드립니다
오늘처럼 힘들 때도 당신의 그 의미와 가치를 잊지 말아 주세요
우리 세상의 발전을 위한 당신의 헌신에
항상 응원과 존경의 마음을 보냅니다

5 외롭다고 느낄 때

@mu_dumdum

스쳐 지나가듯 나를 험담하며
내 귓가를 슬며시 지나가요
나는 그 험담을 상념처럼
곱씹고 곱씹고 있다가
껌처럼 삼키지요

그는 나에게 왜 그럴까?
난 욕을 얻어먹을 짓 안 했는데
나에게 이런 사람 복수할까?
아직도 껌딱지는 내 심장에 붙어
더 심란하고 혼란스럽게 하고
복잡하고, 괴로운 상처를 남겨요

그럼 나는 사람이 미워지지요
그럴수록 더 외롭다고 느껴지며
두 눈을 감아
분노를 삭이는 연습을 해요

오는 것과 가는 것이
똑같이 정해져 있질 않잖아요
오는 것은 오는 대로
가는 것은 가는 대로
그대로 두는 것 이지요

시간의 흐름에 따라
흘러가고 또 흘러감은
내 마음에서 버리는 것이지요

험담의 시작은 스쳐 간 소리이니
그 소리를 지우지요

그 소리를 지운다는 건
그 목소리를 지운다는 거지요

그 목소릴 지운다는 건
그를 지운다는 거지요

이젠 지워 보지요
삶에서 험담으로 남겨진
모든 대상을 지워
외롭다고 느껴지는 이 순간

때론 고맙다고 해 보지요

이젠 혼자 있어도
외롭지 않을 마음을 잡아
괜한 것을 붙잡고
가두지 말기로 할게요

6 괜찮다고 말해주면 안 될까요?

오늘 또 인생의 시련과 고비를 만나게 되었네요
나는 왜 이렇게 순간과 순간을 확인하지 못했을까요
이 어려움의 순간마다
마음으로 항상 말하고 싶어요
"괜찮아요"
네 글자를 마음에 아로새기기가 깊고 무거운 건
제가 너무 자책하는 건 아닐까요?

힘든 시간이 쌓여 갈수록
스스로 괜찮다고 위로해 주기 어려워요

이젠
누군가의 위로가 필요할 때가 생깁니다
위로는 두글자 안에 포함된 네 글자 "괜찮아요"
나에게 크나큰 힘이 될 수가 있어요
누군가에게서 나에게 걱정할 필요가 없다고
위로를 받는 건 새로운 삶의 활력이 되곤 하지요

하지만 때로는 "괜찮아요"라는 말 뒤에는
숨겨진 아픔과 고통이 간과 될 때가 있지요
내가 겪고 있는 이 고통과 아픔이
위로하는 누군가에게는 경험하지 못한 것일 수 있어요
그가 나를 무시하거나 조롱해서 그런 건 아닐 거예요

누군가가 "괜찮아요"라고 말했을 때
그 사람의 마음속 깊은 곳에 있는 아픔을 알아차리고,
진심으로 곁에 있어 주는 그 마음을 고마워하면 되지요

찰나의 순간
"괜찮아요"라고 말해요
함께하는 게 행복하니까요

7 어느 화산섬의 추억

@mu_dumdum

할머니는 나의 어린 날
머나먼 남쪽 나라의 용의 전설을 이야기하신 적 있어
화산섬 가운데를 뚫고
푸르디푸른 여의주를 지닌 붉은 용
오족의 용은 여의주를 물고 하늘로 갔다는 전설

아직도 할머니 이야기를 잊지 못하고
나는 화산섬에 용의 추억을 찾아 떠나왔어
용이 떠나던 그날의 해도 저물었을 때 즈음
섬은 분화구를 용의 입처럼 들고는
붉은 노을에 싸여
내가 머리를 조아리지 않으며
죽일 듯 노려보고 있어

태양의 빛을 그대로 감싼 붉은 파도는
이젠 은빛 비늘을 벗어 물결 위로 뿌려버리곤
붉디붉은 파도를 화산재 검은 모래에 던져 주어

이 작은 화산섬에 화려함을 기대하는 건
육지에서 나만의 사치일까?
환영인사처럼 내뿜는 파도는
그날 용이 떠나던 날처럼
화산섬 구석구석을 때려주곤

이 활화산이 다시 용기를 내어
일어나는 그 순간
다시 나는 용을 만나게 되리라

9월의 남국은
아직도 그 뜨거운 기운을 내뿜고
천년의 이야기 같은
용의 전설은 섬 안에 가득하니
이국의 아름다움을 감싸 안고
할머니의 용의 전설로 돌아간다

8 남방큰돌고래를 보신 적이 있나요?

저녁노을이 수월봉 꼭대기를 감싸 오를때 즈음
차귀도 포구는 자리돔잡이를 꿈꾸는 낚시꾼들이 하나둘 모여들어요
멀리 남해바다까지 나가는 꿈을 꾸었지만
낚시꾼들은 태운 테우는 차귀도 끝자락도 못나가네요

어제 꿈에 보았던 남방의 큰돌고래을 만날라면 어떻게 해야 할까요?

그 지느러미 위에 서서 큰 바다로 나아가는 건 정말 꿈인 건가요?
차귀도 작은 해류에 낚시꾼들의 테우를 얹어두고
자리돔 몇마리가 낚여 올라오는 이 행복의 조건은
남방큰돌고래를 만나는 꿈을 접어야 하는걸까요?

이어도 넓은 바다의 품에 안겨 춤추듯 돌고 돌아
남방의 바다에서 꿈을 꾸듯 큰돌고래가 보고 싶을 땐
이 작은 사무실의 지친 영혼들을 벗어나
멀리 나를 수 있는 자전거를 타고
별이 빛나는 차귀도포구 물결 위로 돌아가는 꿈을 꾸어요

자리돔 한바구니를 잡아
자식 먹이고 젓 담을 생각으로 기뻐하며
달빛 아래 춤추는 남방돌고래의 잔물결 리듬조차 즐겁게 느껴지는 건
이 좁은 사무실을 이미 떠났다는 상상만으로 즐거워지지 않겠어요?
사무실에 있던 잡념들은 서랍에다 묻어버리고
오늘 저녁은 내가 사는 작은 오피스텔에 만족이라는 촛불을 켜봐요

9 늙음에 정원을 만들고 싶다

이제 나이 들어감에 지리산으로 들어가고 싶다
어릴 적 아버지가 남겨주신 땅을 보며
정말 다신 여기 오고 싶지 않다고 생각했었는데
이젠 늙음을 감지함에 그곳으로 돌아가고 싶다

지금 느끼는 늙음의 속도가 가볍지 않다
유년 시절 힘찬 발걸음으로 걸어가던 그 감정이
어느새 늙음의 문턱에 떡하고 서 있다
늙음이 나에게 가져다준 것 중 하나는
깊은 숲속 아버지가 주신 땅에 정원을 만들고 싶다

어릴 적 빠르게 지나가는 시간을 좇아 뛰어왔지만
지금은 그 시간을 천천히 느끼고 싶다
정원에서 햇살을 맞으며 잔디 위에 앉아,
고요한 바람의 속삭임을 듣고 싶다
어릴 때는 빠르게 지나가는 시간을 지나
지금은 그 시간을 천천히 느끼고 싶다

미루나무 꼭대기에 걸려 있던 햇살을 보며
돌아오던 하굣길은 이젠 사라지고 없지만
고요한 바람의 속삭임을 듣고 싶다
큰 나무의 높은 가지를 오르려 했던
얕은 마음들을 접고 접어서

이제는 그 나무뿌리와 시간을 보내고 싶다

정원은 늙음의 미학이다
씨앗이 생성되고 자라고 바라보며
성장하는 고귀함을 관망자의 과정은
기쁨, 슬픔, 실패, 그리고 성공 모두가 느껴진다

정원을 만들면서
나는 내 자신의 삶의 흔적을 발견한다
꽃과 나무는 나의 이야기와 같다
어릴 때의 꿈,
청춘의 열정, 그리고 이제의 늙음까지

그래서 나는 늙음에 정원을 만들고 싶다

10 늙어가며 빵 굽는 사람으로 남고 싶다

어릴 적 신작로 가장 큰 가장자리
태어나기도 전부터 있던 일본식 빵 가게
그리움은 빵의 달콤한 부분으로 시작된다

유년 시절 학교 인근에 있던 빵 가게
수업 시간이며, 점심시간이며
숨 쉴 새도 없이 쏟아져 나오는
빵 굽는 향기

빵집 사람은 빵을 굽는다
불과 물과 소금과 밀가루가
빵으로 만들고
빵집 사람은 특별한 선물을 선사한다
빵 하나 빵 둘
빵들이 쏟아져 나올 때마다
빵 굽는 사람은
사람들에게 새로운 선물을 선사한다

나는 늙음을 감지하고 있다
빠르게 바뀌는 세상 속에서
신작로에 남아있던 빵 굽는 사람은 없다

이젠 남은 건
내가 가진 빵 향기에 관한 추억
이젠 늙어가며 빵 굽는 사람으로 남고 싶다

어린 아이부터 늙은 이까지
내 빵을 사 갈 수 있는
빵을 만들고 싶다
나는 빵을 굽고 싶다

빵은 추억을 반죽하며
예쁘게 성형된 빵 하나와 하나는
사람들에게 행복을 주는 매개체이고 싶다

늙어가며
변하지 않을 그리움과 추억은
빵과 빵 사이에서
사람과 사람 사이에서 서서히 흘러간다
이젠 서 있을 힘도 없긴 하지만

늙어가며 빵 굽는 사람으로 남고 싶다

11 쿠키와 한 잔의 커피에 대한 회고

쿠키 몇 조각과 커피 한 잔은
누군가에게는 그저 의미 없는 시간일 수 있지만,
나에게는 가장 소중한 한때와 연결되어 있다

어릴 적 난 유난히도 병치레가 잦아
가족의 애간장을 녹인 적이 한두번이 아니다

내가 처음 쿠키 몇 조각을 알게 된
할머니의 작은 부엌에서
순간처럼 지나간 따뜻한 쿠키의 향과
함께 천정을 휘감아 돌던 커피의 향은
지금도 내가 살아가는 의미의 일부이다

어릴 적 나는 향기의 의미를 몰랐다
그저 할머니와 함께 보내는 찰나
짧디짧은 특별한 시간의 일부 일 뿐이었다
지금은 시간의 흐름 앞에
그 향기와 함께 할머니의 향취를 느끼는 건
그것들과 함께 달려온
내 추억이 의외로 따뜻하고 포근한 것인지 모른다

대학을 졸업하고
첫 직장을 얻어

바쁜 도시 생활에 휩쓸리면서
그때의 추억은 잠시 잊고 살아왔다

어느 날,
산등성이 카페에서 우연히 느낀 쿠키와 커피의 향기로
그 시절의 순수한 추억들이 다시 마음속으로 스며들었다

할머니와의 그 시절을 회상하며,
쿠키와 커피의 시간 앞에 두고 깊은 생각에 잠긴다

그 향기는 나에게 어릴 적의 순수함,
가족과 따뜻한 추억,
시간의 흐름 속에서 변하지 않는 것들과 마주하게 된다

그저 누군가 앞에 놓인 간단한 간식이 아닌,
나의 소중한 추억의 잔상이다

12 가을이 오면

구름만 날아 다니던 하늘이
조금씩 높게 높게 올라가고 있어요
어느새 햇살은 더 이상 두렵지가 않네요
가벼운 이불은 이젠 장롱으로 들어가고
창문은 하나둘씩 닫기 시작했네요

오히려
그늘이 주는 시원함은 이젠 하나둘 사라지고
나뭇잎들도 풀숲의 초록을 노랑을 갈아 입어요

아침의 공기는 한증막 같은 공포를 벗고
더더욱 시원하게 느껴지게 하고 있어요
더운 여름의 끝은 어제까지 인가 봐요
가을의 시작을 알리는 특이한 내음이 느껴져요
길을 걷다 보면
이제는 한 줄기의 바람이 우리의 얼굴을 쓸어내리며,
약간의 추위를 느끼게 될 거예요
바람이 데려오는, 약간의 쓸쓸함과 고요함의 계절은
가고 오는 인연의 끈이 얼마나 짧은지 알려주네요
여름과 가을 가르는 오늘은 다시 보지 못할 테니까요

여름의 뜨거운 열기와는 달리,
가을은 마음을 차분하게 앉혀주는 이 인연과

생각에 잠기게 만드는 순간이 고마운 계절이네요
주변의 사물들도 겨울을 준비하며
올해의 그 많던 일들을 정리해야 함을 알려주네요
올해를 시작하면 읽고자 하였던
책 한 권을 상기하고 공원의 벤치에 앉아서,
가을의 햇살과 바람을 느끼며
잠시 휴식을 취하는 찰나를 느껴보아요

이 가을이 지나기 전 느껴지는 감성이
일상의 변화를 뼛속까지 더욱 깊이 느껴지는 것은
오늘부터 오는 가을이 오면
이 소중한 계절을 가슴 깊이 느끼며,
나만의 추억과 감성을 쌓아보는 것으로 할게요

13 별 헤는 밤

반쪽 창문에 밤하늘 무수한 별들이 반짝이며
은하수를 건너간다

하늘에 뿌려놓은 유리가루가 날아가고 있다
이미 밤은 깊어가고 정적만이 감도는 한 순간,
별들은 우주의 정연함을 상기시켜 준다

오랜 세월 나와 함께한 소파
이제 막 내려진 커피
지금 떠 있는 찰나의 치맛자락
또 얼마나 오래되었을까?
현재의 시간 앞에 오욕으로 남겨진 것들
그것을 버리지 못한 헛된 욕심들
모두를 억급의 시간에 붙여본다

이젠 밤하늘을 향해 눈을 감아본다
별빛이 희미하게 하나둘 지나가고
그 속으로 향해가는 은하수 기차
삶에서 은하수행 기차 탑승권은 샀을까?
손가락 마디와 마디를, 별빛을 따라 움직이며,
별자리를 하나둘 그려본다

별자리는 전설을 안고 살아간다

카시오페아

오리온

빅토르

상상력에 무기력해지는 건

이제 살아온 시간보단

살아갈 시간이 적어서...

별은 별자리를 모른다

별은 그냥 별일 뿐

지금 잔상은 역경일지라도

여명을 지나 올 아침을 기대하며

깊은 잠에 빠져본다

14 비 오는 날 자전거

@mu_dumdum

어제 오후부터 내리던 비는
가을날 창문을 가득 적시고 있어요
어제 누군가와 가졌던 축배의 시간
나는 오늘 걸어서 출근을 해야해요
비도 오고 그래서 늦게 일어났는데
걸어서 출근을 해야해요

이렇게 비 오는 날
사람들은 동그란 우산을 부여잡고 걸어요
감정의 물결이 확 지나간 다음
나는 혼자 비 오는 날 자전거를 타기로 해요
다른 사람들이 피해 가는 빗줄기
그걸 고스란히 맞아보기로 해요
우산 속에 몸을 피하는 모습이
괜스레 우습게 보이고는
등산 할때나 쓰던 우비를 꺼내 입어요
살짝 머리만 내고
오래된 출근 가방을 들쳐메어요
우비 아래 몸뚱어리는 우스꽝스럽게 됐지만

물방울이 내 얼굴에 부딪혀 떨어지는 마디마디
차가움과 함께 유년의 기억이 살아나요
나는 어릴 때의 기억과 오늘 아침을 헤매기 시작해요

모험심 가득 자전거를 안고
달려가는 그 기억엔
엄마에게 혼날 걱정과 두려움을 잊고,
비에 젖은 머리카락과 옷을 만끽하고 있어요

자전거의 바퀴가 물웅덩이를 지날 때마다,
물방울들이 튀어서 내 다리에 묻어요
그 소리는 은은한 비의 속삭임처럼
비의 리듬에 맞춰,
나의 마음도 흥분과 평온을 반복하며 달려가요

근데요
이젠 엄마에게 혼나진 않겠지만
사무실에 이 몰골로 무어라 하며 들어가야 할까요?

15 소북에서의 여정

누구보다 먼저 한옥카페의 나무 문을 열었다

헛간으로 사용되던 대문채와

청지기가 살았던 작은방은 이젠 작은 독서 공간이다

넉살 좋은 이 한옥은 작은 마당을 안고

따스한 오전의 햇살과 금방 볶은 커피 향으로 가득하다

창가를 비쳐 들어오던 햇살은

일렬로 정렬된 행렬 같은 책들과 합창을 한다

노둣돌을 살며시 돌아 들어가면

안주인이 몸통보다 큰 커피 도구를 안고 서선

나의 주문을 기다리는 눈빛으로 바라본다

내가 좋아하는 방구석에 자리를 잡고

향기 가득한 커피 한 잔을 시켜두곤

시골 마을 정취가 가득한 고샅을 보고 있자니

마당을 노니는 작은 새들의 노래와

안주인이 아침부터 들려주는 G선상의 아리아가

바깥 초등학교 아이들의 재잘거림과 함께

오전 한때의 노곤함을 선사한다

이젠 카페에 하나둘 사람들이 모여든다

가족들과 온 어르신과

책을 읽기 위해 온 학생
하염없이 시간을 보내는 나라는 여행자
모두 각자의 세상으로 빠져든다

점심이 다가오자
식사를 준비하는 분주한 안주인의 목소리와
바람과 함께 휘날리는 천 조각들
계절은 잊지 않고 시간을 찾아 돌아온다

여름날의 무더움은 이젠 사라지고
가을의 선선함을 책방 가득 선사한다

하루가 끝날때 쯤
나는 다시 책방을 나와
그리울만한 안주인 목소리와
책방의 충만을 안고 집으로 돌아간다

16 꽃밭에서

꽃밭에 앉아서 꽃들을 보네
세상 모든 색들이 모여 한잎처럼 노래를 하네
붉은 꽃, 노란 꽃, 하얀 꽃 무지개 같은 꽃들이
황금처럼 모든 들녘을 물들이고 있네
흩어졌다 모였다를 반복하며
초록 잎사귀도 같이 춤을 추네

가을 햇살이 꽃잎을 스치기만 해도
빛나는 꽃과 꽃들
가끔 불어오는 바람에
향기로운 가을 언덕이 무도회를 열고 있네
여기에서 숨을 한번 크게 들이마셔 보니
가을 향기가 앉아 있는 공간 전체 가득하네
건조함과 달콤함을 담고 있는 그 향기가
앉아 있는 몸을 편안하게 감싸주네

앉아있는 자리, 잔디는 약간 시들지만,
그 시듦이 가을의 꽃들을 돋보이게 하여주네
머무를 수 있을 때 아름다움을 느끼게 하여주네
세상 참 쉽게 변하여 가는데
꽃들도 나름의 시기와 순간을 가지고 순행하네
순간순간을 아름답게 빛나려 하고 있네

꽃밭에 앉아서 꽃들을 보네
일상의 소란과 걱정들 잠시 접어두고
단지 현재 이 순간,
이 아름다운 꽃밭과 함께하는 것만이 소중하네

17 노을지는 날엔

노을이 질 무렵,

섬마을 살던 우린 아버지 고기잡이로 살았다

아버지는 섬마을 제일 부자가 가진 배를 탔었다

한 해 지나고 두 해 지나며

아버지는 허리 병을 얻어 우리 모두는 섬마을을 떠나왔다

이젠 파도 건너 섬마을은 볼 수 있지 갈 수는 없다

우리는 아버지가 그물코에 끼인 고기 빼는 일로 살았다

아버지는 이 배 저 배를 다니시며 고기 빼는 일을 하셨다

새벽녘에 조찬을 드시고는

태양이 지평선 아래로 사라지며 뿌려대는

붉은 노을이 질때 쯤 돌아오시곤 하였다

우리집은 산 중턱에 아무도 살지 않는 무덤 근처 있었다

높디높게 자란 생초들은 어머니를 괴롭히며 자랐다

어머니는 어떡하든 그 생초들 사이에서

우리가 먹을 푸성귀를 마련하셨다

여리디여린 푸성귀는

높디높게 자란 생초들을 당해내지를 못했지만

어머니는 아버지와 우리가 먹을 그것들을 만드셨다

노을이 지는 시간을 기다려

어머니는 부뚜막을 정리하시어 식사 준비를 하신다

된장국 끓이며 거품을 거둬내시고
아버지와 우리가 먹을 음식을 만드시고는
안방 한가운데 우리가 먹을 밥상을 차리신다

쌀 두어바가지, 고기 두어바가지를 들고
언덕 아래에서 갈대밭을 지나
아버지가 아픈 허리를 굽히시며 돌아오신다
우리는 작은집의 행복을 고마워하며
서로의 얼굴을 보고 웃으며 약간은 늦은 식사를 한다

아버지, 어머니 그리워요
항상 저를 잘 보살펴 주셔서 고마웠어요
우리 이젠 만날 수 없지만
다음 세상에도 다시 만나고 싶어요

18 가을 산책 어떠신지요?

선선해지고 나무들의 잎이 무지개 같은 색으로 변화하기 시작하고 있어요
우린 하루하루 힘들다고 하며 살아가는데도 말이지요
이젠 하나씩 하나씩 정리할 시점이 또 돌아와,
그 가을의 리듬에 맞추어 행동을 서서히 천천히 움직여야 해요

가을 하루 한때의 산책은 마치 인생의 고갯길에 휴식과도 같아요
여린 잎을 품은 봄의 향기와 여름의 활기찬 에너지가 지나고,
아직 겨울의 한기는 오지 않았기에,
가을은 생각하고 느끼며 자기 자신을 돌아보는 시간은
약간씩은 필요한 거 같아요

가을 산책의 매력은 무엇 일까요
푸르름의 초록이 조금씩 갈색과 노란색, 붉은색으로 바뀌면서
우리는 자연의 변화와 아름다움에 새삼 또 놀라게 되지요
특히 묵직한 생각에 잠기게 하는 그 붉은 단풍은
마치 우리 인생의 불타는 순간들, 열정과 사랑,
그리고 아픔을 상기시켜 주는 것 같아요

산책을 하며 발밑의 나뭇잎이 바스라기는 소리는
마치 올해 한 해 동안의 모든 일들이
저마다의 의미를 갖고 내리쬐는 것 같지 않나요
그 소리에 귀 기울이며,
가을 향기를 맡으면서 내 몸을 따스한 햇살에 맡긴다면,

인생의 힘들고 아픈 감정, 기쁘고 행복한 감정,
노하고 힘든 감정, 슬프고 낙담한 감정들과 마주치지요

그렇게 가을 산책은 마음의 여유를 찾게 해주고,
자신의 삶에 대한 깊은 사색의 시간을 가져다줄 거예요

가을, 바쁜 일상에서 잠시 벗어나
가벼운 옷차림으로 나가 산책을 나가 보아요
가을바람에 머리카락을 휘날리며,
아름다운 단풍 아래에서 깊은 생각에 잠기는 그 순간,
인생의 진정한 가치와 아름다움을 느낄 거예요

이젠, 가을의 포옹 속에 자신을 맡겨보아요

19 정북동 토성

집 마당 구석에 벽오동을 심었구나
울타리 한자리를 잘 차지할까 벽오동을 심었구나
손바닥보다 큰 입사귀가 마르고 달코달아
벽오동이 크고 또 크길 기다리매
벽오동이 커 자식도 커 울타리로 늘어서고
아름드리 벽오동이 하나둘 늘어가는 집마당

부역 나간 서방은 언제 올지 기약 없네
오근장 우물 있는 마님 댁은 부역도 피하두만
우리네 천한 것은 부역도 부역이라
입에 풀칠할 일 고민해도 끝 없구만

농사일 접어두고 놀린 땅이 몇 년 인데
성인이신 임금 창고 해자 판다 몇 년 가고
토성에 성벽이 낮아져서 몇 년 가고
몸뚱아리 하나 남아 풀칠도 어려운데
부역 나간 서방 기다리다 오늘 갈지 내일 갈지

우리네 사는 세상 태평성대 주절대고
벽오동 청아한 목소리가 징조라고 하더니만
봉황은 둘째치고 서방 면상 보잤는데
벽오동 이파리만 무성하고 무성하다

계집아이 낳았다고 심어둔 벽오동은
이젠 베어 혼수장만 끝냈으니
토성에 살고 있는 소나무를 베어다가
오늘 내일 세지 말고 관짜고 기다림에

오근장 뻘밭으로 어기적 걷는 걸음
젊은 날 부역 갔던 내 낭군 돌아오네
오동동 비내리는 가을 뻘에
돌아오는 저 사내가 내 낭군 서방이네

20 늙은 나무와 비틀의 이야기

@mu_dumdum

늙은 나무 아래는 비틀의 꿈의 무대이다
비틀은 항상 늙은 나무 아래에서 휴식과 재충전을 한다
나무 그림자 아래
십수년 간의 시간을 가지와 가지가 남겨준 공간을
비틀은 새로운 무대로 달려갈 수 있는 시간을 마련한다
늙은나무는 비틀의 아낌없는 응원자이길 자처했다

비틀은 춤을 출 때, 쇼팽의 녹턴이 울려퍼지길 바란다
녹턴이 울려 퍼지면 늙은 나무는 비틀의 움직임과 함께
땅의 진동으로 비틀의 춤사위를 느낄 수 있다
어떤 멜로디보다 아름다운 곡과 함께
비틀의 무게와 리듬은 나무에게는 소중한 선물이다

비틀은 나무에게 감사의 마음을 전하고 싶다
비틀은 크고 강한 날갯짓으로 멋진 춤을 추고 있다
비틀의 춤은 늙은 나무의 잎사귀를 통해 전해진다

비틀과 늙은 나무는 서로를 아끼며,
지켜주는 존재 가치를 공유한다
그들은 서로 다른 존재임에도 불구하고
한 몸처럼 서로에게 힘을 주고받는다

그들의 관계는 균형과 조화,

서로를 이해하고 아끼는 진정한 사랑의 모습이다

이야기가 끝나는 지금,
두 존재는 여전히 감사와 사랑을 나눈다
나에게 이해하고 사랑하는 포용을 일깨워 준다

21 어디선가 본 거리인데

지금 거리를 걸어가고 있어요
이 거리의 골목들 이미 알던 곳인듯 한데
기억이 나질 않아요
화가의 그림은 아른거리던 추억의 산을 넘어
시간과 공간을 지나
그 시절 거리를 걸어가고 있어요

하늘을 떠다니는 별은 하나둘 더 빛나고
십자가 아래에 울리는 예배당 종소리
깊은 밤을 달려가는 네온사인의 불빛들
그때의 감정이 떠올라
이상하게 떨려오는 것은 착각일까요

쓸쓸함만이 감도는 이 거리에서
벽돌 하나 둘로 세워진 건물과
별빛과 네온이 다투는 골목길
소리와 향기 그리고 옅은 바람
현실과 몽상의 사이를 오가네요

풍경화 속의 거리는
아무도 없는 듯하여 유심히 바라보며
사람들의 웃음소리와 가게의 문 여닫는 소음
고요한 밤거리의 적막을 깨우는 도시의 속삭임
이 거리를 걸어가며 또 다른 추억 하나를 만드네요

22 독립서점을 만든다는 건

독립서점을 만든다는 건 삶에 어떤 요소가 변경되는 걸까?

내가 만든 독립서점은 지역 사회와

긴밀한 관계를 맺고 운영 되기를 원한다

커다란 비즈니스 계획 따윈 없어도,

비전, 목표 이런 것이 구체화 되질 않아도

예상 수익이나 비용, 마케팅 전략 같은 것이

잘 수립되어 있지 않더라도

지리산 자락 선대에 물려주신 작은 땅에

정원을 가꾸며, 요리 서적과 함께

주방이 있는 작은 독립서점을 열어야겠다

물론 지리산에서 산다는 건

그 팍팍한 텃세와의 전쟁을 치를지도 모른다

또, 내가 사는 이 땅처럼 많은 사람들이 오가는 자리도 아니다

요리를 할 수 있는 서점을 만든다는 건

그 자체로 고유한 특성을 보유하리라 믿는다

특정 요리에 대해 워크숍도 열고,

문화행사도 포함한 그런 서점을 열고 싶다

지금 가지고 있는 블로그나 인스타가

서점과 고객의 연결점이 되어

독립서점의 운영이 온라인으로

알 수 있도록 되었음 좋지 않을까?

이 독립서점이 책을 판매하는 공간이나

요리하는 공간, 다이닝 공간이 더해져

그곳에서 하나의 매개체를 생성해 내었으면 좋겠다

내가 만든 독립서점은 큰 수익을 대하기 어려울 수도 있지만,

문화와 지식의 중심으로서

지역 사회와 깊은 관계를 맺을 수 있는

특별한 장소이기를 원한다

또한 문화적인 측면에서도

큰 의미와 가치를 갖는 작은 서점이었음 좋겠다

23 문수암을 가자

지리산 심장 아래에는 문수암이 있다
그 이름만으로도 가슴속에 풍경이 그려지는 지리산
어머니 속살 같은 지리산에 노란 나뭇잎이 바람에 흩날려 떨어질 때
이 계절을 잊지 말고 문수암에 가자

남부터미널에서 주말에 떠나는 중산리행 버스를 기다려
새벽에 눈곱조차 떼지 못하는 시간을 비려 지리산으로 가자
남들이 오른다는 지리산 천왕봉에 가기 위한 중산리 도착 전에
덕산 오일장 약초에 기대어 사는 문수암에 가자

오전만 되면 퍼져가는 커피향 조차 낯선 이 덕산을 지나
문수암에 가자

그리고, 쉬자, 쉬자, 쉬자

한 평도 되지 않는 내 자리에 있는 보고서 따윈 개나 줘버리고
식전 댓바람에 연가 질을 해서 이젠 가자
아침 식사는 천안 삼거리를 지나서 하고,
점심 식사는 절간 들기 전에 먹어보자

분명
일상과는 다른 새로운 하루가 시작된다
아무것도 하지 않는 기이한 시간을 맞이하자

상상도 하지 못하는 시간의 기상과

아직도 정상적인 사고를 하는 못 하는 위장과 그 식사

그리고 다시 쉬어 보자

좌선의 경지에 오른 고승의 여가가 아닐지라도

절간 앞

농부가 거두지 못한 늙은 찻잎과 마주하며

포행하자 참선하는 자의 마음이 아니더라도 해보자

이번 가을을 넘기지 말고 문수암에 가자

다시는 오지 못할 오늘 이 시간을

적들의 스트레스 해소용이 되지 말자

오늘 떠나면 모레 돌아오면 될 것이고

문수암이 좋아 산에 남는다면

그 또한 내 복일 것이다

가자, 가자

꼬락서니 보기 싫은 것들

사무실에 버려두고

지금 당장 문수암에 가자

24 거리를 혼자 걷다

나 혼자 거리를 걷고 있다
소음과 바쁜 걸음을 약간 빗겨 나와
나만의 발품으로
새로운 세상으로 들어왔다

언제 깐 지도 모르는 이 박석들 위에
반기는 이 하나 없는 이 냉정함
낯선 거리는 어둠을 맞이하기 위해
하나둘 전등에 온기를 넣는다

큰 길가에 있던 그 많은 군상들은
서로를 바라보지 않는다
각자 자신의 목적지로 걸음을 재촉하며
서둘러 사라져 갔다

그중에 한명이던 나는
나만의 감정을 추스르고
상념과 상념을 마주하며
이 작은 골목으로 들어왔다

이 길은 나만의 공간이다

내 생각대로
행복과 위안을 받을 수 있는
혼자의 이 길이
나에게 새로운 가치이다

나는 완전체가 된다
혼자 걷는 이 길 위에서
나는 나를 깨닫고
더 많은 감정선을 통해
나의 모든 것과 함께 하고 싶다

25 나도 자유로운 배낭여행자가 되고 싶다

시간의 흐름 속에서
나의 모습은 당연히 늙음으로 서서히 바뀐다
젊은 날의 활기찬 발걸음은 느려지고,
노쇠한 나의 몸과 얼굴에 시간과 경험을 알려주는 주름만 남는다

그러나 늙음이라는 것이
외적인 모습만을 바꾸는 것은 아니다.
나의 내면의 건강성이 남겨져 있는 한,
꿈과 희망 그리고 열정은 쉽게 늙지 않는다

나는 늙어서도, 그녀처럼 자유롭게
그 어떤 상황과 결과를 두려워하지 않고
세상을 누비는 배낭여행자가 되고 싶다
늙음이라는 것을 무거운 짐이 아닌,
삶의 여정에서 얻은 지혜와 경험의 결과로 받아들이고 싶다

늙어도 여행은 계속될 수 있는 존재이길 기대한다
세상의 아름다운 곳곳을 찾아다니며,
이질적 문화와 사람들 사이에서
계속해서 새로운 것을 배우고 경험하고 싶다

늙은 몸이라 할지라도,
여행의 열정은 젊은 날의 그것보다 더욱 뜨겁게 타오를 것이다

어떤 사람들은 늙었다고 해서 편안한 삶을 꿈꾸며 여생을 보낸다
그러나 나는 다르게 늙어가고 싶다
늙어서도 계속해서 도전과 응전을 반복하고,
새로운 것을 찾아다니는 삶을 원한다

늙음이 오는 것은 막을 수 없지만,
그것을 어떻게 받아들이고 어떻게 살아가는지는 나의 선택이다

나는 늙어서도 자유로운 배낭여행자가 되고 싶다
무한한 가능성이 있는 세상을 탐험하며
새로운 것을 발견하고 싶다

내 안의 젊은 영혼은 계속해서
세상을 향해 뛰어가고 싶다
그것이 내 삶의 자체이다

누구나 늙음을 맞이할 것이다
그러나 그 늙음 속에서도 자신의 꿈과 열정을 잃지 않는다면,
그것이야말로 진정한 젊음이 아닐까

나는 늙어서도,
그렇게 젊은 영혼을 가진, 자유로운 배낭여행자가 되고 싶다

26 내가 기다리는 날은

내가 기다리는 날은 무슨 날일까?
소중한 사람과의 만남,
새로운 시작의 시작일까?
아니면 오랫동안 꿈꾸었던 그 순간일까?
나에게 그날과 날은 다르겠지만,
그날을 기다리는 감성은 비슷하다

나는 기다린다
사라진 인연들과의 우연한 재회를
긴 시간의 이별 끝에,
다시 그 인연과의 재회가 반가울까?
지난 시간의 추억이 한숨처럼
지나가고 인연과의 또 다른 재회를 기약하고
사라져 간다

내가 기다리는 날은
풍성하게 가을 국화가 피는 들녘에서
끝도 모를 하늘의 깊이와
새롭게 발견될 나의 인생과
지난 시간 동안 내가 잊을 실패와 좌절
인연과의 이별이
또 다른 목가적 하루를 기대한다
난 그날이 오면,

나는 자신을 믿고,
다시 시작할 준비를 할 것이다

쉽지 않은 기다림은
떠다니는 구름과 나
둘만이 공간을 꾸미며
새론 세상을 기대한다